헤겔이 건네는 크리스마스 인사

헤겔이 건네는 크리스마스 인사

오빠가 죽은 해였다. 나는 멀리 북방에 살았고 친구가 별로 없거나 있어도 다들 어디 먼 데로 갔거나 했다. 크리스마스에 나는 안락의자에 앉아 헤겔에 관한 뭔가를 읽고 있었다. 헤겔에 관해 많이 알거나 잘 이해하는 분들께는 양해를 구한다. 나는 그렇지 못하니 잘못 옮길 것이 뻔해서 말이다. 하지만 내가 이해하는 바로, 헤겔은 자신의 끔찍한 문장에 대한 대중의 비판에 신물이 났다고 말하며, 틀에 박힌 문법이 주어와 동사의 그 형편없는 이분법과 함께 자신이 '사색'이라고 부르는 것과 충돌한다고 주장하고 있었다. 사색은 철학 본연의 일이다. 사색은 상호작용하는 제 완전함 속에서 진실을 포착하려는 노력이다. '이성이 성령이다'와 같은 문장의 기능은 진실임을 주장하는 것이 아니라 (그의 말에 따르면) 이성과 성령을 나란히 놓고 둘의 의미가 사색 속에서 상냥하게 섞이는 걸 허용하는 것이다. 나는 단어들이 다정하게 서로를 재정의(再定義)하는 이런 철학적 공간에 대한 언급이 뛸 듯이 기뻤지만, 동시에 가족을 모두 잃고서 홀로 맞는 크리스마스가 비참하게 외로웠으므로 눈 구경이라도 하려고 두툼한 부츠와 외투를 챙겨 입고 밖으로 나갔다. 어릴 때 이후로 처음으로! 그게 얼마나 경이로운 일인지 잊고 있었다. 나는 숲 한가운데로 들어갔다. 사방은 이곳의 선생님들인 전나무들이다. 바람을 맞을 때는 기온이 영하 20도였는데 나무들 가운데 서니 바람이 없다. 세계가 한 겹 한 겹 자신을 뺄셈한다. 밖에서 들리던 자동차와 눈 삽질 소리가 사라진다. 안의 소리가 들리기 시작한다. 부러지는 소리, 한숨 소리, 스치는 소리, 꺾이는 소리, 새들 숨소리, 다람쥐 발톱 소리. 전나무들이 거대하게 움직인다. 완벽하게 구부러진 하양, 멋진 제 모습에 놀란다. 얼어붙은 안개와 금빛을 띤 뭔가가 폴폴 날린다. 그림자 위에 그림자, 그림자들이 비스듬하게 걸쳐진 채 정확한 속도로 움직이는 다른 그림자들의 진동으로 눈밭을 가로지르며 자신의 부동성을 긁어낸다. 몹시 춥다. 그러다 그것도 자신을 뺄셈하기 시작해, 몸의 표면은 냉랭해도 속은 뜨거워진다. 표면과 절연하는 것이, 황홀한 평화가 흘러드는 속으로 들어앉는 것이 가능해진다. 어찌나 황홀한지, 나는 부끄러운 줄도 모르고 '황홀하다'라는 단어를 쓰고야 만다. 이것은 감각과의 분리에서 오는 평화가 아니라 눈의 근원에서, 눈이 베푸는 보살핌의 바로 한가운데서 보고 듣고 느끼는 데서 오는 평화를 통한 정화다. 헤겔과는 아무 관련도 없고 내

그 세계의 근본적인 모호함과 이해 불가능성을 견디는 영혼이다. 프랑스어로 쓰인 시를 번역한 「넬리강」은 물론이요, 고전 번역에 기반하여 호메로스와 오디세우스를 분석하는 「경멸」과 에우리피데스의 『바쿠스의 시녀들』을 각색한 「사소한 연극」을 포함한 모든 글의 결에 번역이라는 실이 섞여 있다. 세계를 이해하기 위해 또 한 겹의 베일을 덮는, 번역하는 인간, 글 쓰는 인간의 딜레마가 이 글다발의 모든 글에 스며 있다. 앤 카슨은 묻는다. "말이 베일이라면, 무엇을 숨기는 걸까?"

글이 불가피하게 무언가를 가리는 베일일 수밖에 없다면 최대한 투명한 글을 짜는 것도 하나의 해법일 것이다. 때로 카슨의 글이 의미를 표명하기보다 그저 미처 보지 못했던 어떤 것을 그제야 보게 하는 표식처럼 투명하게 느껴지는 이유가 그래서일 것이다. 앤 카슨은 이 책에서 그처럼 투명한 실을 얻는 방법을 숨김없이 밝힌다. "솔직함은 매일 배 속에서 만들어지는 실타래와 같아서 바깥 어딘가에서 베로 짜여야 한다." 에밀리 디킨슨의 유일한 책략이 솔직함이었듯이, 앤 카슨의 유일한 책략도 솔직함이다. 솔직함의 말은 숨기지 않는다. 어원학자가 절단을 통해 사물의 내부에 떠 있는 상태로서의 존재를 드러내듯이, 솔직함의 말은 클리셰의 결합으로서의 글쓰기에 저항하며 번역될 수 없는 것, 스스로 그치는 말, 예언의 말을 드러낸다. 성긴 베일 틈 사이로 보이는 것, 그 속에 떠서 부유하는 무언가가 있다. 앤 카슨은 그것을 '클리셰가 아닌 생'이라 말하리라.

이 책의 한국어 판본은 또 한 겹의 번역 문제를 겪었다. 영어와 한국어 간의 차이로 인해 인도유럽어족의 성차별적 지정 체계를 비판하는 「대명사 선망」과 소유격 사용 행태를 통해 사물과 사람, 자연과 인간을 구분하는 언어적 이항 대립체계를 다루는 「음료처럼 사용되는 소유격 (Me)」 등의 문제의식과 의미가 충분하게 옮겨지지 않았다. 특히 소네트를 포함한 다양한 시적 형식의 묘미를 제대로 살리지 못한 것은 순전히 번역자의 부족함 탓이다.

그러나 우리는 주문 하나를 얻었으리라. 절규이자 낮은 한숨인,
"오토토토이 포포이 다!"
이제 예언의 말을, 스스로 그치는 말을, 솔직함의 말을 할 차례다.

독자는 주어진 배경과 인물을 가지고 자신의 사건을 구성하게 되지만, 하얀 종이에 적힌 검은 글이 아니라서 단단한 형체를 갖추는 데는 늘 실패한다. 이런 글들은 몹시 성글게 짠 직물처럼 올과 올이 얽힌 평면이 아니라 올과 올 사이의 틈을 보여준다. 말의 숫자만큼 많은 침묵이 있다.

앤 카슨은 형이상학적 침묵을 얘기한다. 「침묵하고 있을 권리에 관한 변주들」은 침묵 안에 있는 더 깊은 말, 번역 가능한 존재가 되고자 하는 의도조차 없는 말, 바로 '스스로 그치는 말'에 관한 글이다. 스스로 그치는 말은 예언의 말이며 시공간에 생긴 파열이며 거대한 클리셰의 결합으로서의 글쓰기에 대한 저항이다. 카슨은 잔 다르크와 프랜시스 베이컨, 프리드리히 횔덜린이 저마다 스스로 그치는 말로 재앙을 만들어내는 방식을 살핀다. 금, 틈, 균열, 구멍, 파열… 앤 카슨은 생각과 발화와 속기와 번역과 문장이 파열되는 지점에 민감하다. 세상의 표면을 더듬어 매끈하지 않은 부분을 찾으며, 끊임없이 구멍에 귀를 가져다 대고 틈에 빛을 흘려 넣는다.

카슨은 스스로 그치는 말이 신의 말이자 인간 사회가 가장 증오하는 말일지도 모른다고 암시한다. 번역될 수 없기 때문이다. 그러고 보면 이 책은 번역에 관한 책이다. 생각은 사상(事象)의 번역이다. 그리고 생각과 발화와 속기와 문장의 관계가 있다. 베일 위에 베일 위에 베일… 앤 카슨은 「카산드라 뜨다 할 수 있다」에서 본래의 표면이 어디인지 묻는다. 공간을 재번역하려 했던 고든 마타클라크와, 사물과 쓰임의 관계를 끊어 사물이 저마다의 존재 속으로 사라질 수 있도록 해주고 싶었던 에드문트 후설과, 과거의 밑에 도사린 미래를 얘기하는 카산드라가 있다. 그렇기에 앤 카슨의 글은 앤 카슨의 방식으로 성기다. 가장 촘촘하다 할 만한 「삼촌 추락」과 「무력한 구조들의 도해 II (사네)」와 같은 상실과 애도의 글조차 직조된 올이 가린 부분보다 올 사이로 드러난 공백이 더 넓다. 그런 글들에서 우리가 길어 올리는 연민의 원천은 어쩌면 글의 표면이 아니라 더 깊은 어딘가일 것이다.

이 책에서 우리는 그간 한국어 독자들이 접하기 어려웠던, 번역하는 인간으로서의 앤 카슨을 만날 수 있다. 고전학자로서 여러 편의 고대 그리스 희곡과 문학 작품을 번역한 앤 카슨은 기본적으로 번역하는 인간의 영혼을 지니고 있다. 조심스럽고 세심하고, 시공간을 가로질러 세계를 이으면서도

“오토토토이 포포이 다!”

앤 카슨이 2000년대 들어 여러 지면에 발표한 시와 산문, 의뢰를 받아 쓴 글 등을 모아 엮은 이 책은 모양새부터 특이하다. 스물두 편의 글을 담은 스물두 권의 중철 제본 팸플릿이 투명 플라스틱 곽에 빼곡하다. 순서는 없다. 첨부된 ‘차례’는 그냥 가나다순일 뿐, 이 팸플릿들을 어떻게 읽을지는 순전히 독자의 마음에 달렸다. 곽에 꽂힌 순서대로 읽어도 좋고, 역순으로 읽어도 좋다. 훌훌 뿌려놓고 손에 잡히는 대로 읽어도 좋을 것이다.

대체로 실험적인 시로 분류할 수 있을 스물두 편의 글은 앤 카슨 글쓰기의 다양성을 잘 보여준다. 시와 수필, 비평, 희곡, 논문, 강의록, 축사, 안내문 등 형식적으로 다양하고 주제와 소재 면에서도 폭넓고 다채로운 글들은 색도 향도 제각각인 꽃을 모은 신선한 여름 꽃다발 같다. 그리고 이 책은 약간은 물리적인 독자의 개입을 요구한다. 우리는 곽에서 팸플릿 다발을 꺼내 분류하고 선택함으로써, 이 팸플릿을 저 팸플릿 옆에 놓음으로써, 팸플릿에서 팸플릿으로 나아가는 속도와 간격을 둠으로써 이 글다발에 저만의 질서를 부여한다. 한 팸플릿이 다른 팸플릿과 나란히 놓이며 한 글의 비밀이 다른 글의 비밀에 스미고 섞이고 엮이고, 의미는 미묘하게 확장되고 변조되고 중첩돼나간다. 읽기라는 행위에 좀 더 적극적으로 개입함으로써, 우리는 이 책을 저만의 독특한 꽃다발로 만들 수 있다.

독자의 개입을 요구하는 것은 글의 내용에서도 마찬가지다. 모든 글이 독자의 능동적인 관여를 요구하겠지만, 앤 카슨의 어떤 글은 특히 더 그렇다. 기원전 3000년경에 에게해 키클라데스 군도에서 번성한 키클라데스 문명의 고고학적 특징들을 소재로 한 시 「우연히 키클라데스 사람들은」은 행들을 재정렬해보라고 유혹한다. 그러나 재정렬한 행들도 고고학 발굴 현장에서 찾아낸 유물만큼이나 수수께끼 같다. 이와 달리, 이미 순서대로 번호가 매겨져 있는 「108(부유)」은 군데군데 빠진 이를 각자의 상상으로 채우라고 요구한다.

옮긴이의 말

가 어설프게 틀에 박힌 문장들로 설명하려 해봤자 그가 딱히 감탄하지도 않겠지만, 내가 크리스마스에 헤겔이 주장하는 특정한 문법에 맞는 개탄의 분위기를 시험해보지 않았더라면, 밖으로 나가 눈 속에 서 있는 일은, 또는 그걸 사색하며 거기 머무는 일은, 또는 마치 오후를 보내는 가치 있는 방법이 그것인 양, 얼어붙은 명절의 공포를 일종의 귀향으로 바꾸는 그럴듯한 방법이 그것인 양, 오후 내내 차분히 앉아서 스스로의 사색을 기록하는 인내심을 발휘하는 일은 절대 없었으리라. 헤겔이 건네는 크리스마스 인사였다.